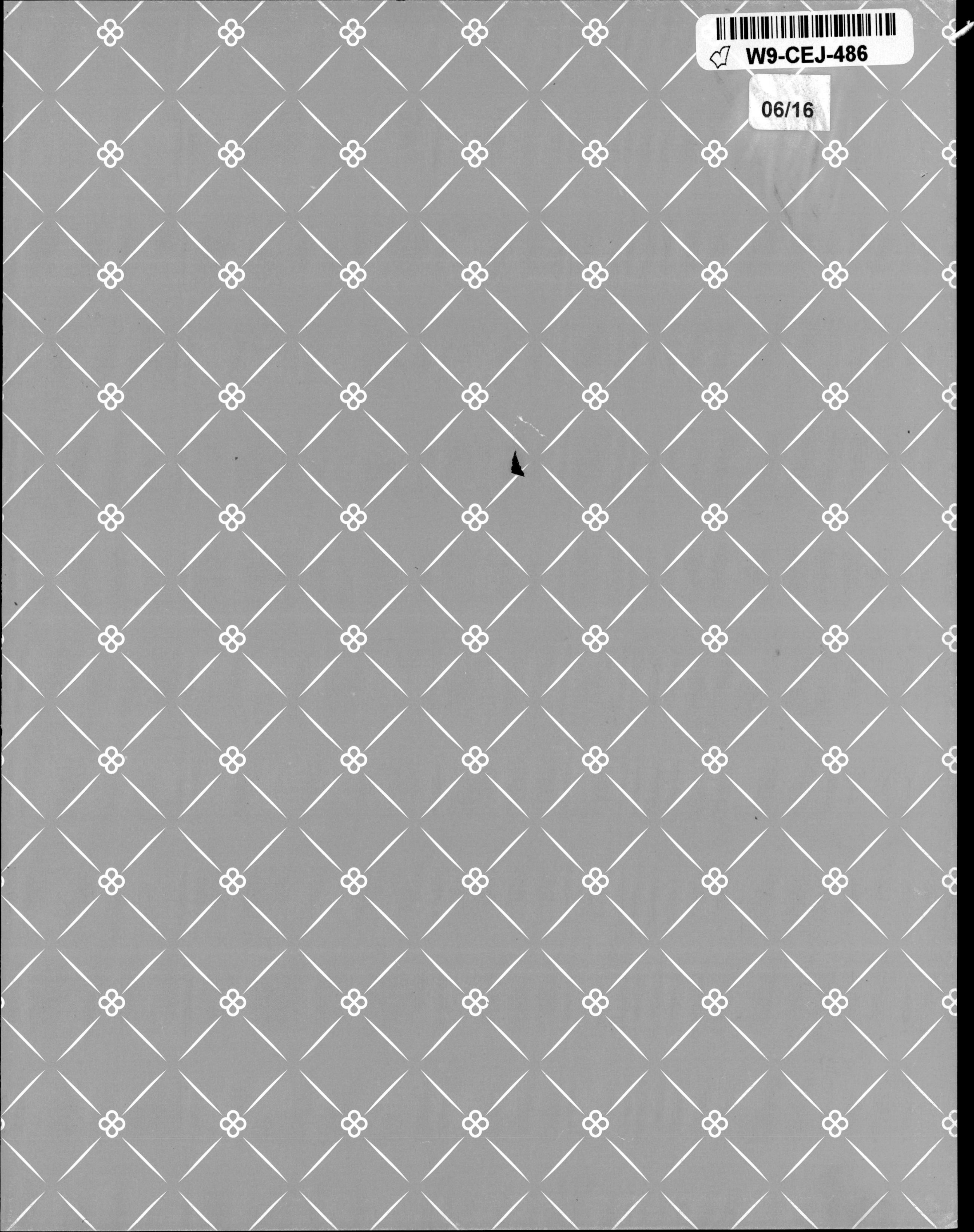

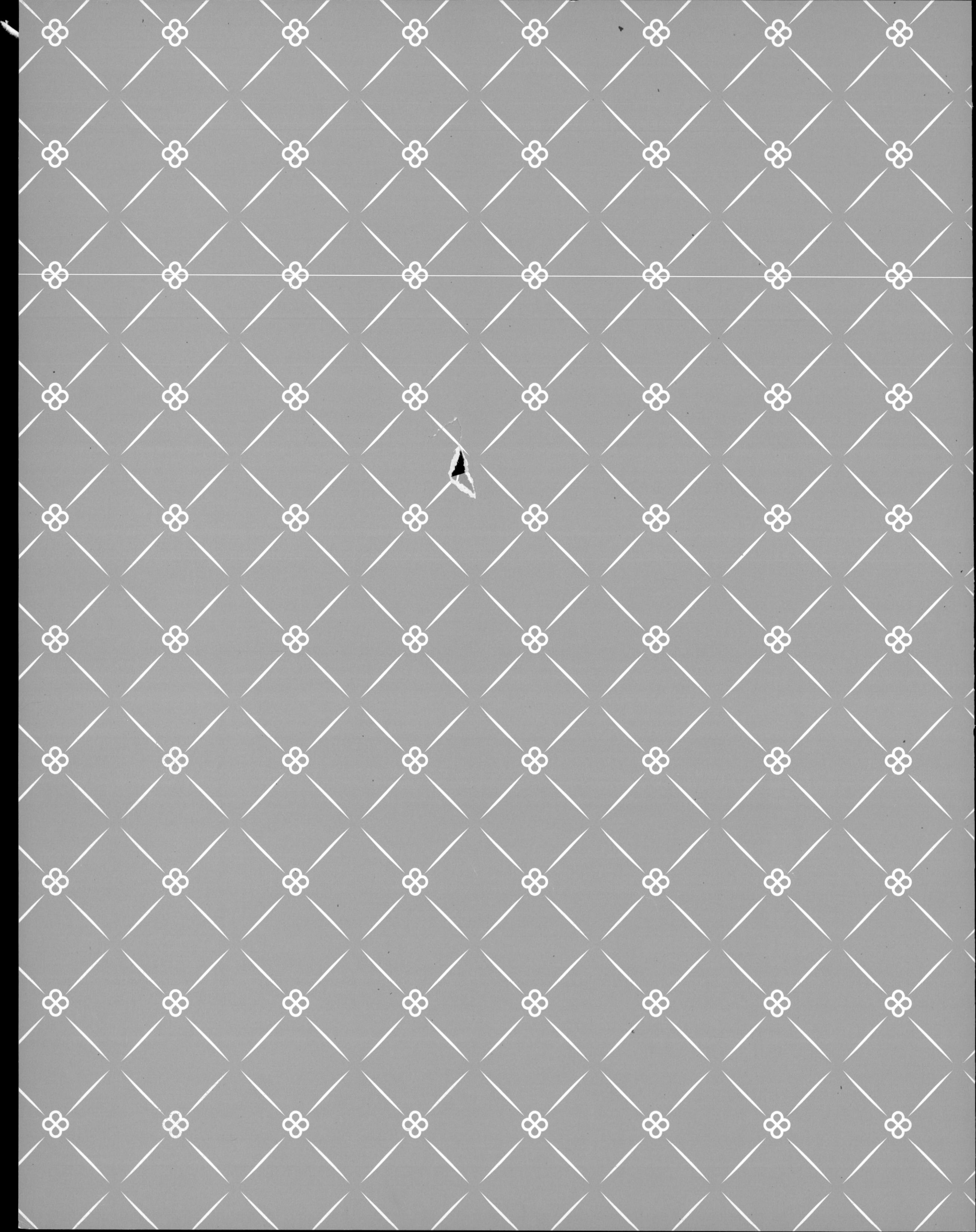

Este libro pertenece a:

This edition published by Parragon Books Ltd in 2015
and distributed by:

Parragon Inc.
440 Park Avenue South, 13th Floor
New York, NY 10016, USA
www.parragon.com

Traducción: Míriam Torras para Delivering iBooks & Design
Redacción y maquetación: Delivering iBooks & Design, Barcelona

Adaptación: Samantha Crockford
Ilustraciones: Disney Storybook Artists

ISBN 978-1-4748-2965-6

Impreso en China/Printed in China

Disney · PIXAR COLECCIÓN DE PELÍCULAS

SERIE ESPECIAL DE LOS CUENTOS DE DISNEY

Disney · PIXAR

UN GRAN DINOSAURIO

Parragon

Bath • New York • Cologne • Melbourne • Delhi
Hong Kong • Shenzhen • Singapore • Amsterdam

Hace millones de años, los dinosaurios dominaban la Tierra. Esos seres gigantescos se extinguieron cuando un asteroide impactó con nuestro planeta. ¿Pero qué habría pasado si el asteroide no hubiese chocado y los dinosaurios hubieran seguido viviendo?

En un mundo donde los dinosaurios se convirtieron en granjeros en vez de extinguirse, vivían dos apatosaurios llamados Henry e Ida. Como se querían muchísimo, decidieron formar una familia.

Henry e Ida tuvieron tres hijos. Bucky y Libby eran dinosaurios fuertes y seguros de sí mismos, pero su hermano Arlo era muy pequeño para ser un apatosaurio.

Desde el momento en que salió del cascarón, Arlo fue un dinosaurio delgado y asustadizo. Tenía miedo de todo, ¡incluso de hacer sus tareas! Pero lo que más temía era la tierra salvaje que se extendía más allá de la cerca. Solo se sentía a salvo en su casa, una granja situada junto a la Clawtooth Mountain.

Buck y Libby trabajaban duro en la granja, labrando y desmalezando los campos. Cuando se hicieron mayores, los dos se ganaron el derecho a dejar su marca, es decir, estampar su huella en barro, en uno de los silos. Eso significaba que habían hecho algo relevante.

Papá y Mamá también habían dejado sus respectivas huellas en el silo.

—Dejar tu huella significa que has hecho algo grande por algo mayor que tú mismo —le explicó Papá a Arlo—. Sé que algún día tú también dejarás la tuya. Tengo muchas ganas de verlo.

Aunque deseaba con desesperación dejar su huella, Arlo no estaba hecho para llevar a cabo trabajos duros. No dejaba de fracasar en todo lo que intentaba hacer.

Un día, Buck le dijo a Arlo que era un cobarde y los dos hermanos se pelearon.

—¡No soy ningún cobarde! —gritó Arlo—. ¡Un día dejaré mi huella!

Una noche, Henry llevó a Arlo a un campo de la granja. Un insecto se posó en la nariz de Arlo, y el pequeño dinosaurio no pudo evitar gritar cuando lo vio tan de cerca. ¡Le parecía enorme y amenazador! Henry, después de decirle a su hijo que se quedara quieto, sopló suavemente el insecto... y este se iluminó. ¡Era una luciérnaga!

Arlo miró a su Papá y sonrió.

De pronto, Papá barrió la hierba con su cola, ¡y cientos de brillantes luciérnagas alzaron el vuelo! Arlo se quedó mirándolas con cara de asombro. Eran preciosas.

Arlo se sentía seguro con su Papá.

Al día siguiente, Henry descubrió que un pequeño había conseguido entrar en la granja y se había comido parte del maíz.

—Tengo un trabajo para ti —le dijo a Arlo—. ¡TÚ vas a atrapar a ese niño!

Aunque Arlo tenía miedo, quería que su Papá se sintiera orgulloso de él.

—Yo me encargo del niño, Papá —respondió—. Conmigo no tendrá ninguna posibilidad de escapar.

Arlo esperó junto a la trampa que su padre y él habían construido hasta que oyó algo batallando en su interior. Arlo abrió la trampa y vio por primera vez al pequeño. ¡Era un niño humano! Como el dinosaurio temía hacerle daño, decidió liberarlo en la naturaleza.

Henry no se puso nada contento cuando vio la trampa vacía, así que resolvió enseñarle a su hijo a superar sus miedos llevándolo a cazar pequeños. Arlo estaba asustado. ¿Y si se perdían?

—Para volver a casa solo tendríamos que seguir el río —le explicó Henry.

Mientras buscaban al niño entre la maleza, estalló una tormenta terrorífica. La lluvia hizo desbordar el río y al pobre Henry se lo llevó la corriente. Arlo se quedó destrozado, pues supo que nunca más volvería a ver a su Papá.

Sin Henry, la familia tuvo que trabajar muy duro para que la granja siguiera adelante. La Mamá de Arlo estaba agotada. Un día, mientras transportaba una enorme carga de maíz a sus espaldas, tropezó y cayó al suelo.

Arlo se le acercó corriendo muy preocupado.

—Tienes que descansar —le dijo.

—Si no terminamos la cosecha antes de que nieve —le explicó Mamá a Arlo—, no tendremos suficiente comida para pasar el invierno.

Arlo, que quería ayudar, cargó con el maíz que llevaba su madre.

—Tranquila —le dijo—. No dejaré que nos muramos de hambre.

Arlo estaba llevando el maíz a uno de los enormes silos de la granja cuando, de pronto, vio al pequeño que había dejado libre. ¡Volvía a estar robando maíz!

Desesperado por terminar el trabajo que su Papá le había encomendado, Arlo se enfrentó al niño. Pero, mientras peleaban, ¡rodaron hacia atrás y se cayeron al río! Cuando por fin Arlo pudo salir a tomar aire, vio que la corriente lo había alejado mucho de la granja.

—¡Mamá, Mamá! —gritó, pero estaba demasiado lejos para que lo oyera.

Entonces *¡BAM!* El pequeño dinosaurio se golpeó la cabeza contra una roca y la corriente lo hundió bajo el agua.

Cuando Arlo despertó, no tenía la menor idea de dónde se encontraba. Le dolían la cabeza y las piernas, y estaba completamente solo. Había aterrizado en una pequeña zona de arena rodeada de enormes acantilados, ¡y no veía ninguna salida!

Haciendo un gran esfuerzo, Arlo se puso en pie y trató de trepar por uno de los escarpados acantilados, pero no hacía más que resbalar. De repente oyó un extraño aullido. Miró arriba... ¡y vio al niño de pie en lo alto del acantilado!

—¡Tú! —gritó Arlo muy enfadado—. ¡Todo esto es culpa tuya!

Pero, en vez de responderle, el pequeño se sentó y se quedó mirándolo tranquilamente.

—¡Ven aquí! —dijo Arlo, rechinando los dientes y estirando su largo cuello para tratar de llegar al borde del acantilado. El niño hizo lo que le mandó y saltó sobre la nariz de Arlo.

—¡Aj! —gritó Arlo, aterrorizado—. ¡Vete de aquí!

El niño saltó de la nariz de Arlo y desapareció.

Sin el pequeño, Arlo se las ingenió para trepar por el acantilado. Una vez arriba, respiró profundamente y miró a su alrededor. La naturaleza parecía infinita, había montañas y bosques hasta más allá de donde le llegaba la vista.

«¿Dónde está mi casa?», pensaba Arlo.

Miró abajo hacia el río y, de pronto, recordó algo que le había dicho su Papá. ¡Para llegar a casa solo tenía que seguir el río!

Arlo emprendió la larga travesía junto al río para regresar a casa, pero al cabo de poco tiempo empezó a tener hambre. Se subió a una gran roca y trató de alcanzar unas jugosas bayas que colgaban de un árbol. ¡Pero, inesperadamente, Arlo perdió el equilibrio y se cayó de la roca!

El pequeño dinosaurio intentó levantarse, pero no pudo porque el pie se le había quedado atascado entre unas rocas. Por más que lo intentó, no logró liberarse.

Pronto oscureció. Arlo oía extraños sonidos a su alrededor. ¡En ese lugar no estaba a salvo! Se acurrucó haciéndose un ovillo e intentó no pensar en los raros ruidos de la naturaleza.

A la mañana siguiente, Arlo se despertó sobresaltado. Durante unos instantes ni siquiera recordaba dónde estaba, pero, cuando se dio cuenta, se miró el pie... ¡y vio que estaba libre! Alguien había empujado las rocas; había huellas humanas en el barro a su alrededor. Arlo siguió su camino, pero pronto empezó a llover. El dinosaurio decidió hacerse una cabaña con unas ramas.

Mientras trabajaba, los animalitos del bosque lo observaban desde sus nidos. Arlo, que jamás había construido nada, estaba seguro de que se estaban riendo de él.

De repente, oyó unos crujidos procedentes de unos arbustos. ¡Algo se dirigía hacia él! Respiraba de forma entrecortada a causa del miedo cuando la criatura apareció...

¡Era el niño!

—¿Tú otra vez? —gritó Arlo—. ¡Largo de aquí!

El niño observó a Arlo y se marchó corriendo hacia los arbustos. Momentos después, reapareció llevando un brazado de bayas. Las dejó caer delante del dinosaurio. Arlo no sabía qué hacer primero, pero estaba tan hambriento que no se pudo resistir, ¡y se las comió todas!

—Gracias —dijo Arlo—. Aún quiero estrangularte... ¿pero podrías traerme más?

El niño se marchó al bosque, olisqueando el suelo. Arlo lo siguió y vio cómo de pronto se detenía y daba unos golpecitos con el pie. Había encontrado algo. ¡Bayas! Arlo fue corriendo a buscar las bayas, pero de pronto el niño se interpuso en su camino y empezó a gruñir.

—¿Qué diantres pasa contigo? —le preguntó Arlo—. Niño loco...

Sin embargo, cuando Arlo arrancó una rama de bayas para comérselas, ¡una enorme serpiente le cayó en toda la cara!

—¡Aaaahhhh! —gritó Arlo, arrojando la serpiente al suelo.

La serpiente se alzó ante Arlo, pero el niño se interpuso una vez más. Cuando la serpiente arremetió contra ellos, ¡el niño se apartó deprisa, se abalanzó sobre el reptil y le propinó un cabezazo! La serpiente se escabulló, alejándose por el bosque.

Arlo se sentía muy agradecido con el niño por haberlo protegido de la serpiente. Después de todo, tal vez el pequeño no fuera tan malo.

—Hola —dijo de pronto una voz.

Arlo dio un brinco, mientras que el niño, a quien no pareció preocuparle la voz, se puso a rebuscar por un arbusto.

La voz era de un estiracosaurio, que estaba escondido entre los árboles. ¡Sus cuernos se hallaban cubiertos de animalitos del bosque!

El desconocido habló de nuevo:

—Ese niño te protegió. ¿Pero por qué?

—N-n-no lo sé —tartamudeó Arlo.

—Vaya... —dijo el desconocido—. Pues quien le ponga nombre se lo queda.

¡El desconocido se quería llevar al niño! Cerró los ojos y empezó a llamarlo por distintos nombres. Arlo, al darse cuenta de que no quería perder a su compañero, empezó a hacer lo mismo.

—¡Chorrito! —lo llamó Arlo. Pero el niño lo ignoró.

—¡Spot! —volvió a probar.

Entonces el niño se giró, miró a Arlo y se le acercó corriendo.

—Ya tiene nombre —dijo el estiracosaurio—. Esta criatura te mantendrá a salvo. No se te ocurra perderla.

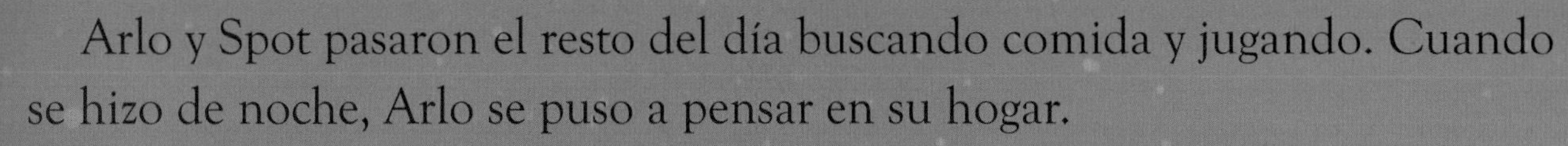

Arlo y Spot pasaron el resto del día buscando comida y jugando. Cuando se hizo de noche, Arlo se puso a pensar en su hogar.

—Extraño a mi familia... —murmuró. Pero Spot no lo entendía.

Arlo encontró unos palitos y los colocó en el suelo a modo de dinosaurios. Representaban a su Papá, a su Mamá, a Buck y a Libby. Spot también colocó unos palitos a su manera: eran su familia. El niño echó tierra sobre esos palitos que representaban humanos, y Arlo comprendió que la familia de Spot estaba muerta. Arlo tumbó el palito que simbolizaba a su Papá.

—Lo echo de menos —dijo.

Spot le dio unas palmaditas a Arlo en la pierna para consolarlo, luego miró hacia la luna y soltó un triste aullido. Arlo colocó una pata sobre el palito de su Papá y también empezó a aullar.

Los nuevos amigos aullaron juntos en la noche.

La mañana siguiente amaneció con nubarrones negros: se acercaba una tormenta. Retomaron su travesía junto al río, pero Arlo estaba nervioso.

—¡Deberíamos parar! —exclamó. Pero Spot no pudo oírlo por el viento.

¡BUM! Se oyó un trueno ensordecedor. Arlo no podía evitar pensar en el día que perdió a su Papá. Presa del pánico, intentó huir de la tormenta y se escondió entre las raíces de un enorme árbol.

Finalmente, la tormenta pasó. Spot empezó a olisquear para buscar a Arlo y lo encontró hecho un ovillo debajo del árbol. Arlo salió a gatas de su cobijo y miró a su alrededor.

—¿D-d-dónde está el río? —preguntó, asustado—. ¡He perdido el río!

Arlo intentó pedir ayuda a unos pterodáctilos que pasaban por allí, ¡pero resultaron ser unos seres despreciables que intentaron comerse a Spot! Arlo y Spot se marcharon corriendo, pero se toparon con…

... ¡dos tiranosaurios!

—¡Aahhh! —gritó Arlo.

Sin embargo, resultó que los tiranosaurios querían ayudar a Arlo y a Spot. Después de que se deshicieran fácilmente de los pterodáctilos, uno de ellos miró a Arlo.

—¿Estás bien, pequeño? —le dijo el T-Rex, que se llamaba Nash.

—S-s-sí —balbució Arlo.

Otro T-Rex, llamado Ramsey, observó a Spot.

—¡Eres la cosita más mona del mundo! —exclamó, mientras Spot se le apoyaba en la pata.

—¡Le gustas! —le dijo Arlo.

Justo entonces llegó un tercer y enorme tiranosaurio. Era Butch.

—¿Se puede saber por qué estás aquí? —le dijo a Arlo.

—Sí, señor —respondió Arlo—. Intento volver a casa, ¡pero he perdido el río!

Arlo preguntó a los tiranosaurios si podían ayudarlo a encontrar el río que lo llevaría a la Clawtooth Mountain, su hogar. Pero Butch le explicó que acababan de perder su manada y que debían encontrarla cuanto antes.

—No podemos ayudarte —le dijo a Arlo. Pero este empezó a pensar...

—Espera —le dijo a Butch—, ¿y si *nosotros* pudiéramos ayudarlos a *ustedes*?

Butch se detuvo en seco y Arlo siguió hablando:

—¡Spot puede olfatear cualquier cosa! ¡Lo he visto hacerlo!

Arlo y los tiranosaurios hicieron un trato: si Arlo y Spot los ayudaban a encontrar la manada, los tiranosaurios los llevarían de vuelta junto al río.

—Vamos, Spot —lo animó Arlo—. Olfatea, chico.

Arlo y los tiranosaurios seguían pasito a pasito al pequeño Spot mientras este olisqueaba el suelo. Era una tarea lenta.

—Si me estás tomando el pelo, te vas a enterar —le dijo Butch a Arlo.

Arlo dejó ir una risa nerviosa. Bajó la nariz hasta el suelo y alzó a Spot.

—Tenemos que ir más deprisa —le susurró al niño.

Arlo bajó la cabeza a nivel del suelo y, con Spot todavía sentado en la punta de su nariz, siguió avanzando mientras el niño olisqueaba en busca de cualquier rastro.

Pronto Spot vio algo en el suelo: ¡las huellas que buscaban! El grupo siguió el rastro por una cresta de la montaña, y finalmente encontraron la manada.

Butch les dijo a todos que esperaran, pues sabía que había ladrones peligrosos que solían robarles.

—Tengo un trabajo para ti —le dijo Butch a Arlo.

—No se me dan muy bien los trabajos... —le respondió Arlo.

Butch quería que Arlo hiciera ruido para atraer a los ladrones. Arlo, aunque estaba nervioso, se mostró dispuesto a ayudar y avanzó por el prado con Spot a sus espaldas.

Arlo abrió la boca e intentó chillar, ¡pero no le salió la voz! Estaba intentando superar sus miedos con todas sus fuerzas. Volvió a abrir la boca, pero seguía sin poder emitir sonido alguno.

Entonces, de repente, ¡Spot le mordió la pierna!

—¡Aaaahhh! —gritó Arlo.

Uno a uno, los ladrones, que eran velocirráptores de aspecto espeluznante, surgieron de entre las hierbas y empezaron a correr en dirección a Arlo.

Arlo se quedó helado de miedo. Estaba seguro de que eso era el fin...

Pero en ese momento, Butch saltó de entre las hierbas y agarró a uno de los velocirráptores. Nash y Ramsey llegaron y se deshicieron de los demás.

Entonces la manada emprendió un ataque... ¡dirigido a Arlo!, que estaba paralizado de terror. Spot sabía que tenía que ayudar a su amigo, así que se le subió a la espalda y le dio un empujón. Arlo salió corriendo y se escondió detrás de una gran roca para proteger tanto a Spot como a sí mismo.

Butch estaba cerca luchando con el velocirráptor. ¡Arlo y Spot los estaban observando cuando el velocirráptor tomó el control y derribó a Butch!

—¡Agárrale la cola! —le pidió Butch a Arlo.

Arlo temblaba, pero Spot, ahora montado en su cuello, le volvió a dar un empujoncito. ¡El dinosaurio cobró vida y se precipitó sobre el velocirráptor, le dio un cabezazo y lo lanzó por los aires!

—¡Aahhh! —gritó Arlo.

No se lo podía creer. ¡Lo había conseguido!

Esa noche, Arlo y Spot se sentaron con sus nuevos amigos T-Rex alrededor de una hoguera.

—Tanto tú como ese niño hoy han demostrado que tienen agallas —le dijo Butch a Arlo.

Los tres tiranosaurios contaron historias de otras batallas que habían vivido con otras bestias, ¡incluso con cocodrilos!

—Se acabó tener miedo —decidió Arlo, alucinado tras escuchar esas historias.

—¿Quién dijo que yo no tengo miedo? —dijo Butch.

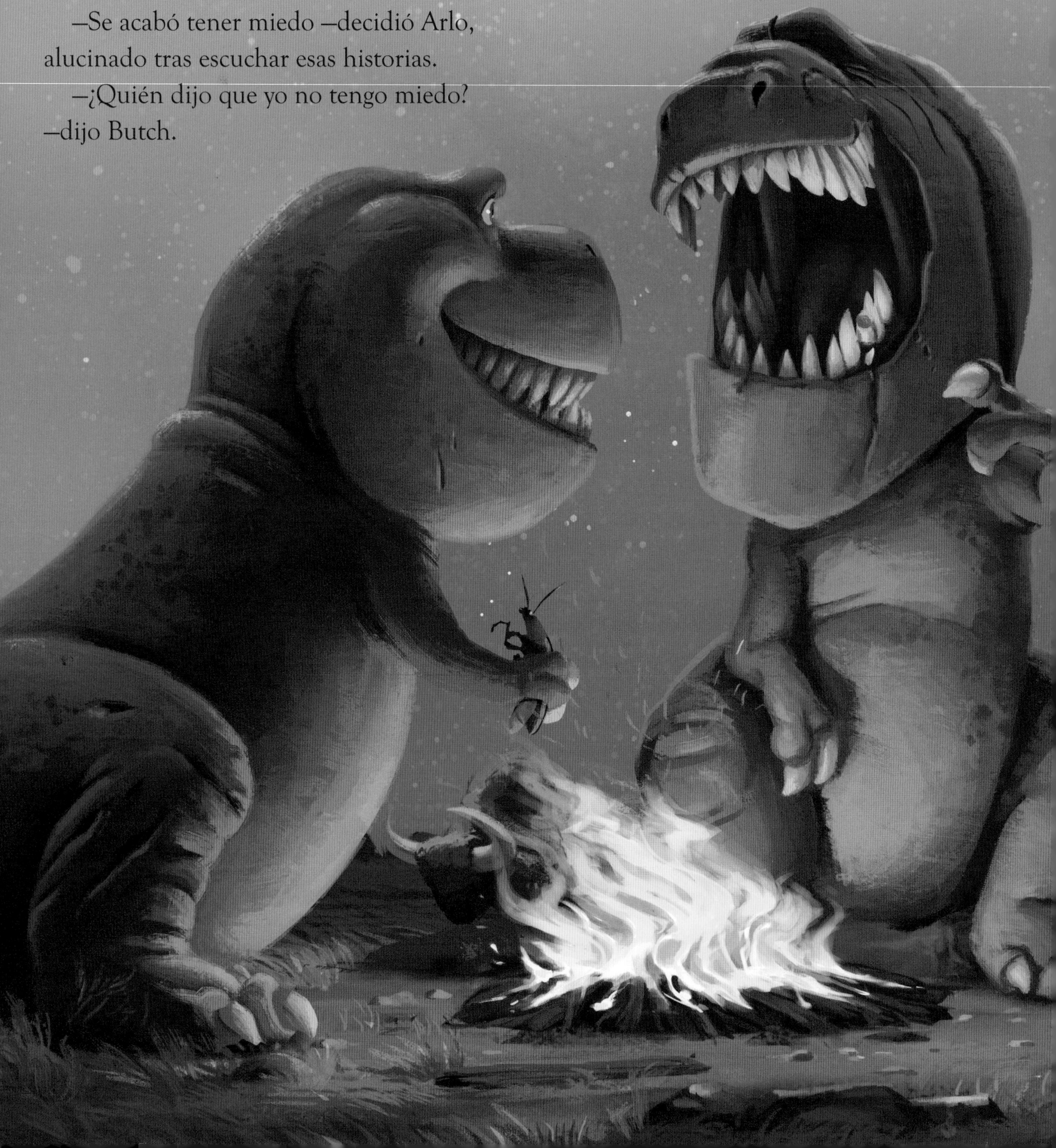

Arlo estaba sorprendido.

—Pero si venciste a un cocodr...

—Escúchame bien, chico —siguió Butch—. No puedes perder el miedo, pero sí puedes aprender a superarlo. De esa manera descubrirás qué tipo de dinosaurio eres.

Justo entonces, algo comenzó a caer suavemente del cielo. ¡Era nieve! Eso quería decir que el invierno estaba a la vuelta de la esquina.

—Tengo que volver a casa con Mamá —dijo Arlo.

—Un trato es un trato —le dijo Butch—. Partiremos al alba.

Los tiranosaurios llevaron a Arlo y a Spot hasta el río y luego se despidieron de ellos. El niño y el dinosaurio volvían a estar en camino, avanzando mientras jugaban y reían.

Pronto llegaron a la cima de una colina, y Spot le indicó a Arlo que levantara la cabeza por encima de las nubes. El dinosaurio hizo lo que le pidió y los dos se sorprendieron ante las preciosas vistas que se encontraron.

—¡Uau! —exclamó Arlo.

Podían ver la Clawtooth Mountain, ¡ya llegaban a casa! Los dos observaron la puesta de sol y se sintieron felices de verdad.

Al día siguiente, después de pasar una curva, Arlo y Spot se encontraron con la Clawtooth Mountain.

—¡Está muy cerca! —exclamó Arlo—. ¡Ya casi estamos, Spot!

Arlo levantó la cabeza y aulló emocionado. Spot hizo lo mismo, pero entonces oyeron otro aullido a modo de respuesta. Spot y Arlo vieron a un hombre humano en la cresta de la montaña que tenían enfrente.

Spot saltó de la espalda de Arlo y con cuidado se fue acercando al hombre. Mientras Spot se alejaba cada vez más, a Arlo empezó a preocuparle que el niño lo dejara. El dinosaurio alcanzó deprisa a Spot y se lo colocó de nuevo en la espalda.

—Tenemos que llegar a casa —le recordó Arlo, regresando al camino.

Mientras los dos avanzaban, el camino que seguía el río se internó en las montañas. Una vez más, los truenos empezaron a retumbar, se levantó viento y empezó a llover. A Arlo se le comenzaron a hundir los pies en el suelo mojado, y eso le dificultó el paso.

Antes de que Arlo se diera cuenta de lo que pasaba, ¡aparecieron los pterodáctilos, se abalanzaron sobre ellos y uno agarró a Spot!

—¡No! —gritó Arlo, tratando de recuperar al niño. Pero el pterodáctilo era demasiado fuerte y, dando un último tirón, se fue volando llevándose a Spot entre sus garras.

—¡Spot! —chilló Arlo mientras perdía de vista a su amiguito.

Por suerte, Spot logró liberarse de las garras del pterodáctilo y pudo esconderse dentro del tronco de un árbol. Estaba herido, y los pterodáctilos golpeaban una y otra vez el árbol para tratar de llevárselo de nuevo.

Mientras tanto, la tormenta iba empeorando.

Spot aulló, y entonces oyó un grito muy cercano a modo de respuesta. De repente...

... ¡apareció Arlo! Había venido a salvar a su amigo.

Arlo arremetió contra los pterodáctilos y de un cabezazo lanzó a uno de ellos al río. A continuación, mientras la tormenta descargaba con fuerza, arrancó de raíz un árbol con la cola y lo lanzó a los otros pterodáctilos.

Spot gritaba desde el interior del árbol, ¡se había quedado atascado! El suelo había empezado a temblar, y Arlo se percató de que se acercaba una riada.

De repente, el río desbordado arrancó el árbol en el que estaba Spot y la corriente se lo llevó. Y por más que Arlo intentó alcanzarlo, no lo logró.

Mientras tanto, la riada se acercaba. ¡Un muro de agua iba directo hacia Spot! Arlo tenía que rescatarlo sin perder ni un segundo más.

El pequeño dinosaurio corrió más rápido que nunca para intentar alcanzar a Spot y dejar atrás la riada.

Cuando Arlo consiguió acercarse al árbol en el que estaba Spot, reunió todas sus fuerzas y saltó. Alcanzó a Spot, pero el muro de agua golpeó al dinosaurio mientras volaba por los aires y lo tiró al río.

Arlo se esforzó en nadar contra la vertiginosa corriente del río. Los rápidos no hacían más que hundirlo.

—¡Spot! —lo llamaba.

De pronto lo vio, aún agazapado dentro del tronco del árbol. ¡Y entonces, además del ruido del río, oyó el sonido todavía más fuerte de una cascada!

Arlo empleó todas sus fuerzas para nadar hacia Spot. El niño consiguió salir del árbol, saltó al agua y empezó a nadar hacia Arlo. Justo cuando los amigos por fin se encontraron, empezaron a caer por la cascada...

Los dos se precipitaron desde muy alto y se zambulleron en el agua. Tras unos instantes, Arlo salió a la superficie sosteniendo a Spot. El dinosaurio trepó hasta tierra firme y dejó a su amiguito a sus pies.

Arlo y Spot se miraron y sonrieron. Estaban aturdidos y llenos de moretones, pero ambos se encontraban bien.

A la mañana siguiente, después de haber descansado toda la noche, Arlo y Spot se despertaron y vieron que la tormenta había amainado. Retomaron su camino una vez más por las montañas siguiendo el recorrido del río.

Pronto oyeron un aullido que les resultó familiar. Más adelante vieron al hombre que se habían encontrado el día anterior, ¡pero esta vez iba acompañado de una familia humana completa! Los humanos salieron del bosque y Spot se les acercó corriendo.

Arlo observó cómo los humanos rodeaban a Spot. Sabía lo que tenía que hacer.

Cuando Spot regresó corriendo hasta Arlo, el dinosaurio lo empujó con suavidad para que volviera con la familia.

Spot no comprendía nada.

Arlo le dio otro empujoncito y luego trazó un círculo alrededor de Spot y los humanos. Entonces Spot entendió lo que Arlo quería decirle.

Spot abrazó a Arlo para despedirse mientras ambos amigos se aguantaban las lágrimas. ¡Habían pasado tantas cosas juntos! Eran buenos amigos, pero los dos sabían que era mejor que Spot viviera con una familia de humanos.

Arlo hizo solo el último tramo de la travesía. Finalmente, el dinosaurio vislumbró la granja y luego a su Mamá.

—¡Arlo! —exclamó Mamá cuando vio a su hijo.

Buck y Libby se acercaron corriendo y la familia reunida se abrazó entre sonrisas. ¡Por fin Arlo estaba en casa!

Finalmente Arlo se había ganado el derecho a dejar su marca en el silo. Tal como una vez dijo su Papá, había hecho algo grande por algo mayor que él mismo.

Estampó su huella al lado de las de sus familiares y se sintió feliz porque por fin había aprendido a ser fuerte y valiente. Sabía que su Papá habría estado muy orgulloso de él.